O PEQUENO POLEGAR

CLÁSSICOS ILUSTRADOS

MAURICIO DE SOUSA

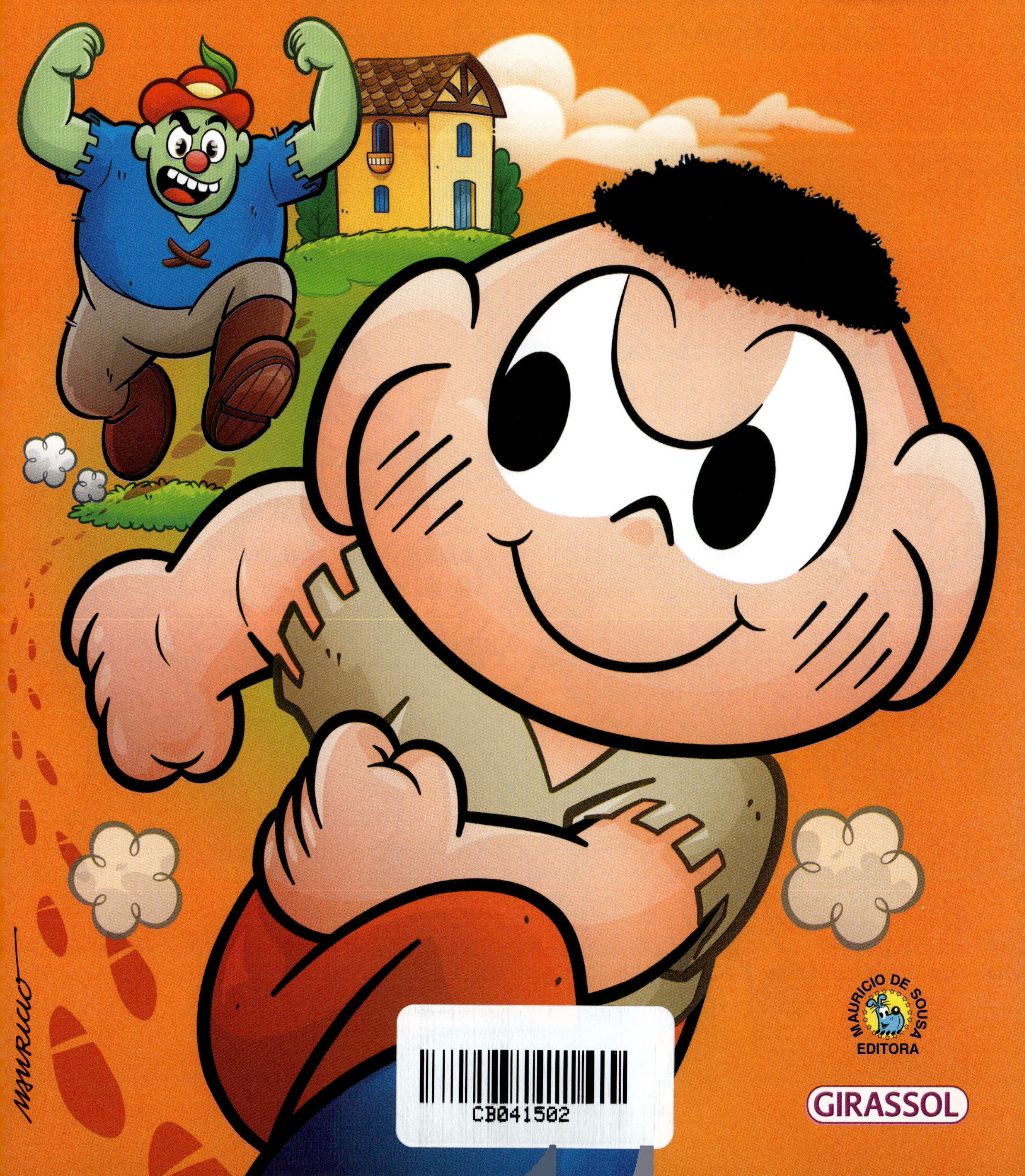

ERA UMA VEZ UM CASAL DE LENHADORES MUITO POBRES, QUE TINHA SETE FILHOS. O MAIS NOVO ERA TÃO MIUDINHO QUE SÓ O CHAMAVAM DE PEQUENO POLEGAR.

ERA UM ANO DIFÍCIL E, CERTA NOITE, OS PAIS DECIDIRAM ABANDONAR OS FILHOS NA FLORESTA, POIS NÃO TINHAM COMO ALIMENTÁ-LOS. O PEQUENO POLEGAR OUVIU TUDO E FOI ATÉ A BEIRA DO RIO CATAR PEDRINHAS.

NO DIA SEGUINTE, A FAMÍLIA FOI À FLORESTA. AO VER OS MENINOS DISTRAÍDOS, OS PAIS FUGIRAM. MAS O PEQUENO POLEGAR HAVIA DEIXADO PEDRINHAS PELO CAMINHO. FOI SÓ SEGUI-LAS E VOLTAR PRA CASA.

QUANDO OS PAIS CHEGARAM, RECEBERAM DEZ ESCUDOS QUE O CHEFE DA ALDEIA DEVIA A ELES. COMPRARAM BASTANTE COMIDA E FICARAM SURPRESOS E FELIZES QUANDO OS MENINOS APARECERAM.

QUANDO O DINHEIRO ACABOU, OS PAIS DECIDIRAM LEVAR OS FILHOS PARA A FLORESTA DE NOVO. O PEQUENO POLEGAR IA CATAR PEDRINHAS, MAS A PORTA ESTAVA TRANCADA. SORTE QUE ELE TINHA UM PEDAÇO DE PÃO NO BOLSO.

OS PAIS LEVARAM AS CRIANÇAS PARA A FLORESTA E O PEQUENO POLEGAR FOI SOLTANDO PEDACINHOS DE PÃO PELO CHÃO. SÓ QUE, MAIS TARDE, NÃO ENCONTROU UMA ÚNICA MIGALHA. OS PASSARINHOS TINHAM COMIDO TUDO.

OS MENINOS ESTAVAM MESMO PERDIDOS. O PEQUENO POLEGAR SUBIU EM UMA ÁRVORE E AVISTOU, AO LONGE, UMA PEQUENA CASA. CHEGANDO LÁ, UMA MULHER OS ATENDEU E CONTOU QUE ALI MORAVA UM OGRO QUE ADORAVA COMER CRIANÇAS.

A MULHER ESCONDEU OS IRMÃOS EMBAIXO DA CAMA. MAS O OGRO, QUANDO CHEGOU, SENTIU CHEIRO DE CRIANÇA E RAPIDAMENTE ENCONTROU OS MENINOS. DISSE QUE OS COMERIA NO DIA SEGUINTE.

O OGRO TINHA SETE FILHAS, AINDA MENINAS. TODAS USAVAM COROAS DE OURO.

O PEQUENO POLEGAR SE LEVANTOU NO MEIO DA NOITE E TROCOU SUAS COROAS PELOS GORRINHOS DOS MENINOS.

MAIS TARDE, O OGRO SE APROXIMOU DO LEITO DOS MENINOS, PERCEBEU AS COROAS DE OURO E PENSOU QUE FOSSEM SUAS FILHAS. DEPOIS, FOI AO QUARTO DAS MENINAS E PENSOU QUE LÁ ESTIVESSEM OS MENINOS, DORMINDO.

ASSIM QUE O PEQUENO POLEGAR OUVIU O OGRO RONCAR, ACORDOU OS IRMÃOS E TODOS FUGIRAM.

NO DIA SEGUINTE, QUANDO PERCEBEU QUE HAVIA SIDO ENGANADO, O OGRO FICOU BRAVO E SAIU PARA PROCURAR OS MENINOS COM SUAS BOTAS DE SETE LÉGUAS.

O PEQUENO POLEGAR MANDOU SEUS IRMÃOS IREM EMBORA E SE ESCONDEU NA FENDA DE UMA ROCHA. O GIGANTE PAROU PERTO DALI E, CANSADO, DORMIU. O MENINO, ENTÃO, TIROU AS BOTAS MÁGICAS DELE, E VOLTOU À CASA DO OGRO.

ELE DISSE À MULHER QUE O OGRO ESTAVA NAS MÃOS DE PERIGOSOS BANDIDOS E PRECISAVA DE TODO O OURO QUE POSSUÍAM PARA LIBERTÁ-LO. A MULHER LHE ENTREGOU TUDO O QUE TINHAM E O PEQUENO POLEGAR LEVOU PARA A SUA FAMÍLIA.

QUANDO O OGRO ACORDOU, VIU QUE ESTAVA PERDIDO. ANOS DEPOIS, FINALMENTE VOLTOU PARA CASA, ONDE FOI RECEBIDO COM ALEGRIA. O MELHOR DE TUDO É QUE ELE PROMETEU NUNCA MAIS COMER CRIANCINHAS.